HALLO ANNA

neu

Olga Swerlowa

Deutsch für Kinder
Lehrbuch

2

Klett Polska sp. z o.o.
ul. Polska 114
60-401 Poznań
Tel.: 61 62 69 090
Fax: 61 84 96 212
doradcy@klett.pl
www.klett.pl

Konzeption des Kurses: Olga Swerlowa, Beata Ćwikowska, Daria Miedziejko, Katarzyna Sroka
Redaktion: Kornelia Kucharska
Illustrationen: Paweł Miedziński
Umschlaggestaltung: H7/H7agency.pl
Layout: H7/H7agency.pl
Satz: Violet Design/Wioletta Kowalska
Fotos:
© Umschlagfoto: Getty Images Polska/laflor
Olga Swerlowa: 5 (6); 6; 7 (1)
Klett Polska: 32 (1-5); 76 (5)
© Getty Images Polska: Getty Images Polska/franz12 (5.1); Getty Images Polska/jotily (5.2); Getty Images Polska/bbsferrari (5.3); Getty Images Polska/wallix (5.4); Getty Images Polska/Auris (5.5); Getty Images Polska/Jim Zuckerman (5.7); Getty Images Polska/Jorg Greuel (7.2); Getty Images Polska/fotyma (16.1); Getty Images Polska/Neniya (16.2); Getty Images Polska/Photography (16.3); Getty Images Polska/suemack (16.4); Getty Images Polska/Sergey_Peterman (22.1); Getty Images Polska/boitano (22.2); Getty Images Polska/margouillatphotos (22.3); Getty Images Polska/artisteer (22.4); Getty Images Polska/wuttichok (22.5); Getty Images Polska/marieclaudelemay (24.1); Getty Images Polska/irin717 (24.2); Getty Images Polska/kvkirillov (24.3); Getty Images Polska/flibustier (24.4); Getty Images Polska/Klaus Vedfelt (40.1); Getty Images Polska/prohor08 (40.2); Getty Images Polska/aijohn784 (40.3); Getty Images Polska/Sckrepka (40.4); Getty Images Polska/Bigandt_Photography (40.5); Getty Images Polska/FatCamera (40.6); Getty Images Polska/Cylonphoto (40.7); Getty Images Polska/Irina Gulyayeva (40.8); Getty Images Polska/goinyk (48.1); Getty Images Polska/MOF (48.2); Getty Images Polska/GentooMultimediaLimited (48.3); Getty Images Polska/StanislavBeloglazov (48.4); Getty Images Polska/mike_matas (48.5); Getty Images Polska/llandrea (48.6); Getty Images Polska/Jan Hakan Dahlstrom (50.1); Getty Images Polska/Bryngelzon (50.2); Getty Images Polska/GlobalP (50.3); Getty Images Polska/icefront (51.1); Getty Images Polska/GK Hart/Vikki Hart (51.2); Getty Images Polska/ExcellentPhoto (56.1); Getty Images Polska/bgblue (56.2); Getty Images Polska/paulafrench (56.3); Getty Images Polska/efired (56.4); Getty Images Polska/DonKurto (56.5); Getty Images Polska/lakshmipathi lucky (56.6); Getty Images Polska/JohnCarnemolla (56.7); Getty Images Polska/mille19 (64.1); Getty Images Polska/mashabuba (64.2); Getty Images Polska/Avalon_Studio (64.3); Getty Images Polska/shiffti (64.4); Getty Images Polska/Dron4EG (64.5); Getty Images Polska/Tihis (64.6); Getty Images Polska/benandlens (72.1); Getty Images Polska/Ekspansio (72.2): Getty Images Polska/gregobagel (72.3); Getty Images Polska/Detailfoto (72.4); Getty Images Polska/graemenicholson (72.5); Getty Images Polska/prill (72.6); Getty Images Polska/filo (72.7); Getty Images Polska/K_Thalhofer (72.8); Getty Images Polska/dageldog (72.9); Getty Images Polska/Grafissimo (74.1); Getty Images Polska/Heide Benser (74.2); Getty Images Polska/Atlantide Phototravel (74.3); Getty Images Polska/DanielleSalmoria (75.1); Getty Images Polska/Heide Benser (75.2); Getty Images Polska/terra24 (75.3); Getty Images Polska/tatyana_tomsickova (75.4); Getty Images Polska/aguirre_mar (76.1); Getty Images Polska/MarcQuebec (76.2); Getty Images Polska/Manu1174 (76.3); Getty Images Polska/janimir (76.4); Getty Images Polska/code6d (77.1); Getty Images Polska/ FamVeld (77.2); Getty Images Polska/Hiroshi Higuchi (77.3); Getty Images Polska/jasantiso (78.1); Getty Images Polska/LuVo (78.2); Getty Images Polska/ChrisHepburn (78.3); Getty Images Polska/the4js (78.4); Getty Images Polska/PrairieArtProject (79.1)

Tonaufnahmen: Studio MM, Poznań
Sprecher: Maja Nadarzyńska, Patrick Kobriger, Johannes Ackermann, Daniel Bock, Josephine Braun, Georgia Cavalco, Sophie Eull, Karl-Heinz Gosch, Vincent Gosch, Marcin Henschel, Florian Janocha, Adriana Kobriger, Ana-Maria Kobriger, Christian Kobriger, Nicole Krohn-Nadarzyński, Małgorzata Łodej-Stachowiak, Lena Nadarzyńska, Amelie Paustian, Kerstin Paustian, Carina Rassek, Joachim Stephan, Anika Trampnau, Thomas Trampnau, Paulene Wegelein, Marc Tobias Winterhagen

Komposition der Lieder: Grzegorz Kopala (*Hipp-hipp-hurra, Ich kann alles machen, Wir lieben den Winter, Der kleine Zoo, Und der Hunger ist vorbei, Kommst du mit?*), Dominik Bukowski (*Das ist ja wunderbar!, Wer bist du?*)

Arrangement der Volkslieder: Grzegorz Kopala *(Ich geh' mit meiner Laterne, Der Fasching ist da)*

Bedanken möchten wir uns bei Herrn Marcin Lemiszewski und den Kindern von Willy-Brandt-Schule Warschau für ihre Teilnahme an den Tonaufnahmen.

Grüße von den deutschen Freunden

Hallo, kennst du noch Anna und Benno?
Sie und ihre Freunde kommen aus Deutschland.
Deutschland ist groß und hat viele schöne Städte.
Anna und Benno wohnen in München. Die Stadt liegt im Süden Deutschlands.

München ist groß. Es gibt hier viele schöne Straßen, Plätze, Kirchen und Schlösser, Museen und Parks.

Anna ist jetzt sieben. Sie mag ihre Stadt. Ganz besonders die Straße, wo sie wohnt. Hier trifft sie ihre Freundin Tina auf dem Weg zur Schule.

Anna mag Schule. Und sie mag Kino und Theater. Die Schauburg ist das Kindertheater in München. Anna war hier mit ihrem Opa und Lisa.

Und das ist Benno. Er mag Mathe und Sport. Benno und Sara gehen oft zusammen skaten.

Fabian, Daniel und Lukas spielen gern Fußball. Manchmal im Olympiapark. Hier steht der Fernsehturm. Von da oben kann man ganz München sehen.

Wiederholungsspiel

1.8 Bevor die Geschichte weiter geht, machen wir eine kurze Reise zurück in die erste Klasse. Hast du Lust auf ein Spiel?

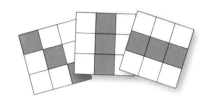

Was sagen die Personen?	Was sagt Anna?	Wer ist das?

Welche Farben sind das?	Zähle bis 12.	Was ist das?

Ich mag ...	... ist toll!	Das ist Annas ... Das ist ...

... und ... ist ...	Hier ist ...!	Wir ...

Benno ist ...	Was sagen die Kinder?	Wer mag Spinat? Nein, ...

Sechs plus fünf ist ...!	Das sind mein ... und meine ...	Malen ist ... Mathe ist ... Musik ist ...

Gewonnen!

Gratuliere!

Anna und ihre Freunde sind jetzt in der zweiten Klasse, genau wie du. Wie geht die Geschichte weiter? Möchtest du das wissen? – Dieses Buch erzählt davon!

Hallo, wie geht's dir?

1.11-12

Die Ferien sind vorbei. Anna und Benno gehen wieder in die Schule.

Hör zu und sprich nach.

In der Klasse 2a sind 20 Kinder. Ein Mädchen ist neu.

Hör zu und sprich nach.

Der Zahlen-Rap

13, 14, 15, 16
Ja, und was kommt dann?
17, 18, 19, 20
Du bist endlich dran.

20, 19, 18, 17
Nochmal anders rum.
16, 15, 14, 13
Und der Rap ist um.

Ballspiel

Würfelspiel

⚀	gut
⚁	sehr gut
⚂	nicht so gut
⚃	schlecht
⚄	so lala
⚅	prima

Ratespiel

Tastspiel

Rechenspiel

Wer würfelt mehr?

Partnerfinger

1 Grazias neue Freunde

1.16-17

Grazias Schwester will die Kinder aus der Klasse 2a kennen lernen.

Hör zu. Wer spricht zuerst? Nummeriere.

Hör noch einmal zu. Wer mag was? Verbinde und erzähle.

Das ist ja wunderbar!

Hör zu und sprich nach. Hör zu und sing mit.

Wie heißt du denn? Wie heißt du denn?
Ich heiße Magdalene.
Na so was! Toll! Na so was! Toll!
Das ist ja wunderbar!

Wie geht's dir denn? Wie geht's dir denn?
Mir geht's fantastisch. Danke!
Na so was! Toll! Na so was! Toll!
Das ist ja wunderbar!

Was magst du denn? Was magst du denn?
Orangensaft und Kuchen.
Na so was! Toll! Na so was! Toll!
Das ist ja wunderbar!

Tiere erzählen, wie sie heißen und was sie mögen.

Lies die Texte. Wer sagt was? Verbinde.

A

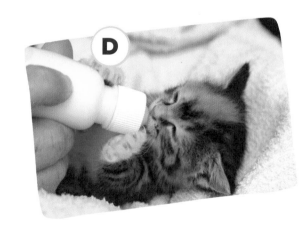

B

1 Hallo, ich bin ein Papagei und heiße Bo.
Ich bin 14 Jahre alt und mag Bananen.
Mmmm. Bananen sind lecker.

2 Hi, ich heiße Freddi und ich bin
drei Jahre alt. Ich mag Würstchen.
Sie sind so lecker.

C

3 Guten Tag, ich heiße Lutz
und ich bin ein Kaninchen.
Ich mag Salat. Salat ist gesund
und sehr lecker.

D

4 Miau, miau. Hallo, ich bin Lili
und ich bin sieben Wochen alt.
Ich mag Milch. Mmmm.

Humor-Labor

Benno geht oft auf den Spielplatz. Dort spielt er gern mit anderen Kindern.

Hör zu und schau dir die Bilder an.

Heute ist Sonntag. Anna und Benno spielen zusammen. Auch Tina ist da.

Hör zu und sprich nach.

Anna, Tina und Benno gehen in den Hof. Sie hören Musik. Aber wer spielt hier?

Hör zu und sprich nach.

Bingo

Pantomime

Kettenspiel

Paare suchen

Montagsmaler

Was machen sie gern?
Was machen sie nicht gern?

Ich mache gern Filme

1.31-32

Anna und Benno drehen ein Video über Annas Familie.
Wer macht was gern?

Hör zu und nummeriere die Bilder.

Hör den Text noch einmal. Wer sagt was?
Ordne zu und erzähle.

Wer bist du?

Hör zu und sprich nach. Hör zu und sing mit.

 1.33-35

Bist du Linda? Heißt du Stella?
Oder heißt du Isabella?
Nein, nein, ich heiße Grazia.
Ja, ich heiße Grazia.

Magst du Kino? Magst du Zoo?
Spielst du Schach und Domino?
Nein, nein, ich mag Theater.
Ich spiel' gern Theater.

Machst du Sport? Hörst du Musik?
Lernst du gern Mathematik?
Ja, ja, ich mache Sport.
Ich mag Musik.
Ich lerne gern Mathematik.

2 Scherz-Zoo

Auch Tiere haben ihre Hobbys.

Lies die Texte. Wer sagt was? Ordne zu.

A

B

C

D

1 Hallo, ich heiße Martha. Ich bin schwarz, weiß und braun. Mein Haar ist schön. Und Musik ist schön. Ich mag Musik und höre gern Musik. Ich singe: Miau, miau! Und ich spiele gern Klavier.

2 Mein Name ist Ferdinand. Und das ist mein Bruder Odin. Ich bin sportlich und Odin ist sportlich. Und wir spielen gern Hula-Hoop. Hurra! Juhu!

3 Hallo, ich bin Bruno. Und ich habe viele Hobbys. Ich spiele gern Verstecken und Fangen. Das ist lustig. Und ich skate sehr gern. Guck mal! Das mache ich gut!

4 Hallo, Freunde! Ich heiße Gina. Ich bin klein, aber ich kann schwimmen. Schwimmen ist toll! Andere Katzen finden Schwimmen blöd. Und ich schwimme sehr gern.

Humor-Labor

Grazia freut sich über Fabians Besuch.
Schön, dass er Sport mag!

Hör zu und schau dir die Bilder an.

Zum Geburtstag viel Glück!

Benno hat heute Geburtstag. Mama und Papa gratulieren ihm.

Hör zu und sprich nach.

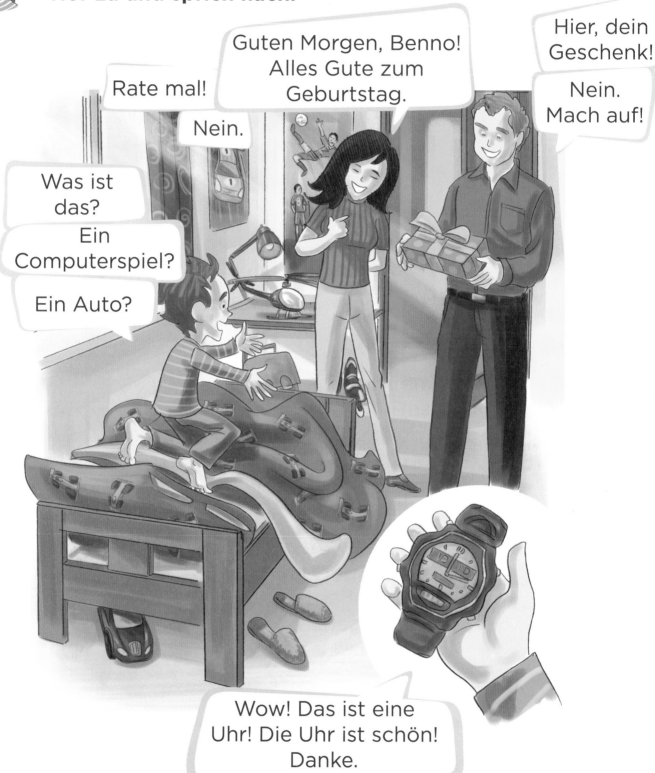

Benno feiert mit seinen Freunden. Er bekommt viele Geschenke.

Hör zu und sprich nach.

Hier, Benno, für dich!

Was ist das, Fabian? Ein Ball?

Was ist das? Ha-ha-ha ... Ein Puppenhaus?

So ein Quatsch! Mach auf!

Oh, das ist ein Puzzle. Das Puzzle ist interessant. Danke.

Oh, das ist ein Teddy. Der Teddy ist nett.

Der Prima-super-cool-Rap

Alt und schlecht, schlecht und alt – alles raus.

Gut und neu, neu und gut – rein ins Haus.

Schön und nett, nett und schön – alles klar.

Prima, toll, super, cool, wunderbar!

Das Spielen ist interessant, es ist nie langweilig.

Das Spielen ist interessant, es ist nie langweilig.

Kettenspiel

Der Teddy.

Der Teddy, die Uhr.

Der Teddy, die Uhr, das Auto.

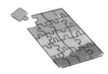

Stille Post

Was ist das?

Das ist ein Teddy.

Memory

Das ist ein Puzzle. Und das ist eine Uhr. Du bist dran.

Was ist das?

Würfelspiel

 neu   schön

 nett   prima

 alt

 schlecht

Das Puzzle ist alt.

Schatztruhe

Spielsachen und Spielsachen

1.46-47

Grazia besucht Anna. Die Mädchen spielen zusammen.

Welche Sachen gehören Anna, welche – Lea, welche – Anton? Hör zu und ordne zu.

Hör noch einmal. Was passt?

 schön/neu.

 neu/klein.

 neu/klein.

 toll/klein.

 interessant/ schön.

interessant/ groß.

Hipp-hipp-hurra

Hör zu und sprich nach. Hör zu und sing mit.

Und was ist das?
Das gibt's doch nicht.
Das ist doch eine Uhr!
Die Uhr ist schön.
Die Uhr ist schwarz.
O danke. Vielen Dank.

Hipp, hipp, hurra, wie wunderbar!
So viele Geschenke gibt's nur einmal im Jahr!

Und was ist hier?
Das gibt's doch nicht.
Das ist ein Puppenhaus!
Das Haus ist neu.
Das Haus ist groß.
O danke. Vielen Dank.

Noch ein Geschenk?
Das gibt's doch nicht.
Das ist ein prima Spiel!
Das Spiel ist neu,
interessant.
O danke. Vielen Dank.

Scherz-Zoo

Flummi erzählt.

Lies die Texte und schau dir die Bilder an. Ordne zu.

A

B

C

D

E

1 Mmm. Ich mag Milch. Die ist so lecker!

2 Oh, oh. Das ist eine Maus.
Die Maus ist nett.

3 Hallo, mein Name ist Flummi. Ich bin
eine Katze und ich bin weiß und braun.

4 Heute habe ich Geburtstag. Ich bin jetzt
4 Jahre alt. Und das ist mein Geschenk.

5 Mein Hobby ist Spielen. Ich spiele
gern Ball und ich schlafe sehr gern.
Katzen schlafen 16 Stunden am Tag.
Schlafen ist toll!

Humor-Labor

Benno freut sich über das Geschenk von Grazia.
Was kann das sein?
Hör zu und schau dir die Bilder an.

4 Ich kann singen und tanzen!

2.2-3 Anna und Lisa sprechen in der Pause über ihre Talente.
Hör zu und sprich nach.

In der Pause essen die Kinder. Benno isst ein Schinkenbrot. Anna isst eine Banane. Und Grazia isst Kekse.

Hör zu und sprich nach.

Die Schüler der Klasse 2a haben viele Talente.

Lippenlesen

Ich kann ...

Nein.

Ja, ich kann springen.

Tanzen?

Springen?

Pantomime

Kannst du tanzen?

Ich kann bimbalabim.

Nein.

Kannst du schwimmen?

Ja. Ich kann schwimmen.

Paare suchen

Kannst du jonglieren?

Schade.

Nein.

Kannst du Rad fahren?

Toll.

Ja.

Wer kann singen?

„Stumme" Post

Unsere Talente

2.6-7

Annas Mitschüler haben viele Talente.

Hör zu. Wer spricht zuerst, wer danach? Nummeriere.

Hör zu. Was stimmt? Was stimmt nicht? Markiere und erzähle.

Ich kann alles machen

Hör zu und sprich nach. Hör zu und sing mit.

Grün ist gelb, eins ist zwei.
So ein Quatsch! Das kann nicht sein.
März ist Mai, mein ist dein.
So ein Quatsch! Das kann nicht sein.

Ich kann tanzen, singen.
Ich kann laufen, springen.
Ich sprech' nun zwei Sprachen
Und kann jetzt alles machen.

Neun ist zehn, groß ist klein.
So ein Quatsch! Das kann nicht sein.
Schlecht ist gut, ja ist nein.
So ein Quatsch! Das kann nicht sein.

Ich kann skaten, schwimmen.
Ich kann gut jonglieren.
Ich sprech' nun zwei Sprachen
Und kann jetzt alles machen.

Der Schäferhund ist unser bester Freund.
Lies den Text und markiere, was dieser Hund kann.

Ich kann schwimmen.

Ich kann mit
Kindern spielen.

Und ich kann
im Film spielen.
Ich heiße
„Kommissar Rex".

Ich kann schnell laufen.

Ich bin ein Schäferhund.
Ich habe viele Talente.

Ich kann blinde
Menschen führen.

Ich kann Menschen retten.

Ich bin ein guter Freund
und kann zuhören.

Humor-Labor

Benno hört gern Musik. Er kann dabei gut relaxen.

Hör zu und schau dir die Bilder an.

2.16-17

Heute ist Samstag. Die Kinder haben keine Schule. Benno will draußen spielen und Anna will das nicht.

Hör zu und sprich nach.

Es ist Winter. Das Wetter ist schön. Die Kinder spielen draußen.

Hör zu und sprich nach.

Wochentagespiel

Spiegelspiel

Ich will auch eine Schneeballschlacht machen.

Ich will auch einen Schneemann bauen.

Ich will eine Schneeballschlacht machen.

Ich will einen Schneemann bauen.

Würfelspiel

Anna will Ski laufen.

Zipp-Zapp-Spiel

Kettenspiel

Wer will das nicht?

5 | Wer mag den Winter?

Die Kinder basteln mit Frau Kamm und sprechen über den Winter.

Hör zu. Wer mag den Winter? Wer mag den Winter nicht? Kreuze an.

Hör noch einmal. Wer sagt was? Welches Bild passt?

Wir lieben den Winter

Hör zu und sprich nach. Hör zu und sing mit.

Wir bauen einen Schneemann.
Hey, Leute, wer macht mit?
Wir spielen Eishockey
Und bleiben immer fit.

Wenn der Winter da ist und wenn es heftig schneit,
Dann bitten wir das Wetter, dass es so weiter bleibt.
Wir lieben den Winter, wir spielen im Eis,
Wir rodeln zusammen und tanzen im Kreis.

Wir machen Schneeballschlachten.
Hey, Leute, wer macht mit?
Wir laufen auch Schlittschuh
Und bleiben immer fit.

Philipp will fliegen lernen.

Lies die Texte und schau dir die Bilder an.

1

Hallo, ich bin Philipp. Ich bin ein Pinguin. Und das ist mein Papa.

2

Ich kann gut schwimmen und surfen. Aber ich will fliegen.

3

Du kannst nicht fliegen. Ha-ha-ha. Pinguine fliegen nicht.

4

Aber ich will es lernen. Fliegen ist toll.

5

Philipp, du kannst fliegen! Ein Pinguin kann unter Wasser fliegen.

6

Echt? Toll! Guck mal, Papa. Ich fliege ...

Humor-Labor

Die Mutter von Anna und Anton ist nicht da.
Die beiden haben aber Hunger.

Hör zu und schau dir die Bilder an.

6 Hast du ein Haustier?

Viele Kinder aus der 2a haben Haustiere. Sie lieben ihre Tiere und erzählen gern von ihnen.

Hör zu und sprich nach.

Kinder, wer hat ein Haustier?

Ich!

Ich!

Ich habe eine Katze. Sie heißt Schmusi und mag Milch.

Ich auch!

Und ich habe einen Hund. Er heißt Tobi und ist sehr klug.

Ich habe eine Schildkröte.

Und ich habe ein Meerschweinchen.

Und wir haben einen Papagei. Er kann sprechen.

Ich habe kein Haustier.

Grazia, du hast kein Foto.

Oje.

2.33

Der Tier-Rap

Die Katze, die Schildkröte und die Maus,
Der Papagei, der Hamster – du bist raus.
Der Fisch, das Meerschweinchen und der Hund
Und das Kaninchen weiß und rund.

Fingermalerei

Tier-Musik-Schlange

Kimspiel

Paare suchen

Mein rechter Platz

Schwarzer Peter

In der Schule malen Annas Mitschüler ihre Haustiere.

Hör zu. Wer malt was? Verbinde und erzähle.
Hör noch einmal. Was mögen die Tiere? Verbinde und erzähle.

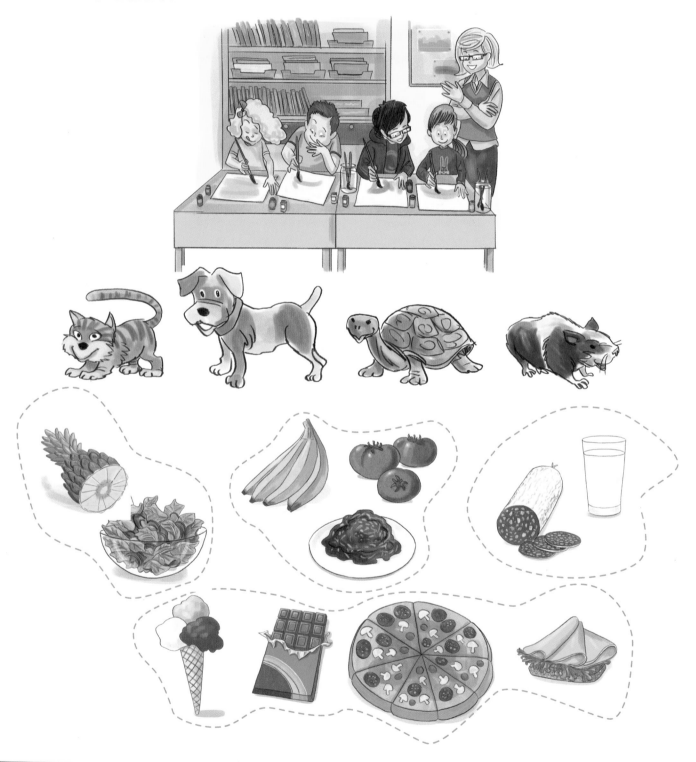

Der kleine Zoo

Hör zu und sprich nach. Hör zu und sing mit.

Meine Freundin Andrea –
Sie hat eine Katze.
Die Katze heißt Mieze
Und hat weiße Tatzen.

Mein Bruder Matthias –
Er hat einen Hund.
Der Hund ist ein Dackel
Und heißt Siegesmund.

Und Tante Ulrike –
Sie hat eine Kuh.
Die Kuh gibt uns Milch
Und ruft immer: „Muhhhh!"

Mein Opa Karl-Heinz –
Er hat jetzt ein Pferd.
Das Pferd ist schwarz-weiß
Und heißt Adalbert.

Ein Tier stellt sich vor.
Lies die Texte und rate, welches Tier es ist. Markiere.

Ein Pinguin? ◯   Ein Krokodil? ◯   Ein Strauß? ◯

Hallo, ich bin Hugo.

Ich lebe in Afrika.

Ich bin 2,50 Meter groß und 100 – 140 Kilo schwer. Ich habe große Augen und sehr starke Beine.

Mein Ei ist sehr groß.

Ich kann nicht fliegen. Und ich kann nicht schwimmen.

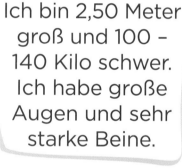

Ich bin Vegetarier, ich mag Salat, Blätter und Früchte.

Ich kann sehr schnell laufen wie ein Auto, 50–70 km pro Stunde.

Humor-Labor

Anna und Benno lieben Tiere. Nach der Schule gehen sie oft ins Zoogeschäft.

Hör zu und schau dir die Bilder an.

2.39

7 Bei Grazia zu Besuch

3.2-3

Es klingelt. Grazia öffnet die Tür. Anna und Benno sind da! Hurra!

Hör zu und sprich nach.

Alle sitzen am Tisch. Alle essen und trinken, was sie möchten.

Hör zu und sprich nach.

Der Lebensmittel-Rap

Brot und Butter, Ei und Käse,
Schinken, Wurst und Majonäse,
Jogurt, Müsli, Honig, Tee,
Apfelsaft, Milch und Kaffee,
Obst, Gemüse und viel Fisch –
Das kommt alles auf den Tisch!

Das riecht gut

Ich weiß nicht. Keine Ahnung.

Das ist Wurst.

Das schmeckt gut

Richtig.

Das ist Marmelade.

Kettenspiel

Was möchtest du essen?

Ich möchte Brot.

Ich möchte Brot mit Butter.

Ich möchte Brot mit Butter und Käse.

Memory

Ich möchte bitte ein Ei und Wurst.

Du bist dran. Was möchtest du essen?

Ich habe Durst

Ich habe Hunger

Würfelspiel

Kegeldrehen

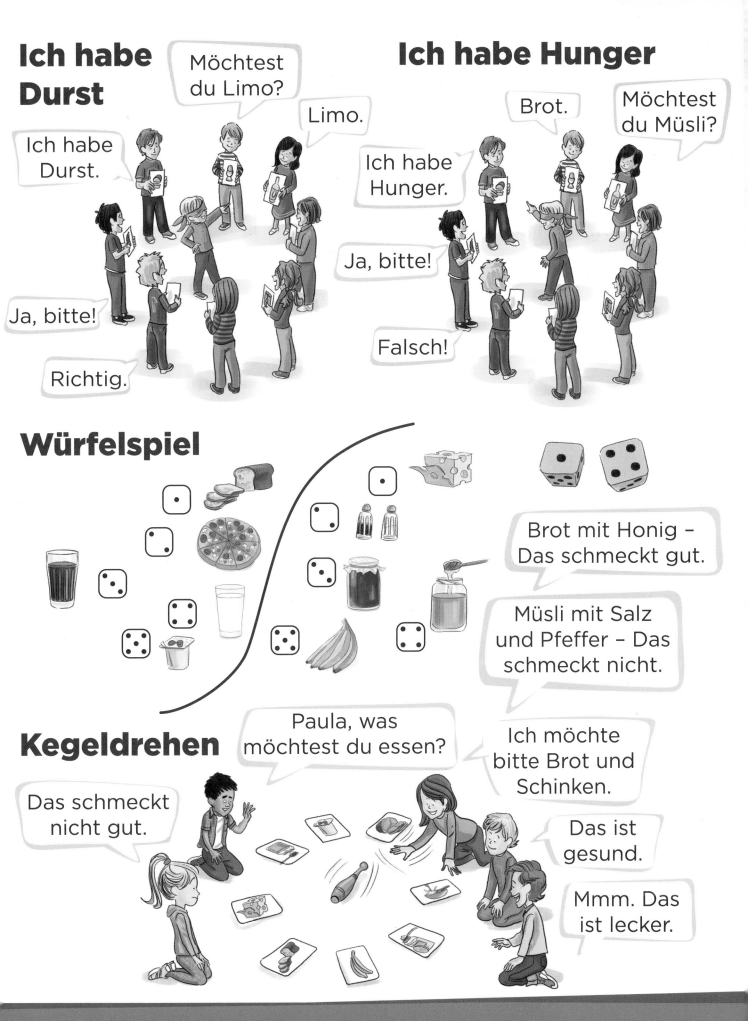

3.7

Frau Kamm organisiert ein Frühstück in der Klasse. Die Schüler aus der Klasse 2a freuen sich.

Hör zu. Was möchten die Kinder zum Frühstück? Kreuze an.

Und der Hunger ist vorbei

Hör zu und sprich nach. Hör zu und sing mit.

Was möchtest du denn essen?
Was möchtest du denn essen?
Kuchen oder Pizza, Kuchen oder Pizza?
Ich möchte lieber Pizza.
Ich möchte lieber Pizza.
Die ist ja super lecker!
Und die schmeckt wunderbar!

Hast du Hunger? Hast du Durst?
Trinke Wasser und iss Wurst!
Iss dann noch ein Spiegelei.
Und der Hunger ist vorbei.

Was möchtest du denn trinken?
Was möchtest du denn trinken?
Tee oder Limo, Tee oder Limo?
Ich möchte lieber Limo.
Ich möchte lieber Limo.
Die ist ja super lecker!
Und die schmeckt wunderbar!

7 Scherz-Zoo

Der kleine Igel hat immer Hunger.

Lies die Texte und schau dir die Bilder an. Ordne zu.

A

B

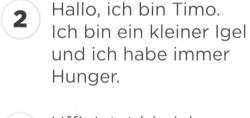

C

D

E

1 Und was ist das? Das ist ein Apfel. Der schmeckt gut!

2 Hallo, ich bin Timo. Ich bin ein kleiner Igel und ich habe immer Hunger.

3 Uff! Jetzt bin ich aber satt. Ich möchte jetzt schlafen. Gute Nacht!

4 Ich möchte trinken. Ich habe Durst. Oh, Milch. Das mag ich.

5 Ich habe Hunger. Ich möchte essen. Mmmm, das riecht gut. Beeren. Lecker! Aber ich bin noch nicht satt.

Humor-Labor

Benno hat heute keinen Hunger. Was ist los? Ist er krank?

Hör zu und schau dir die Bilder an.

Das Wetter ist heute sehr schön. Anna und Benno wollen ihre Freizeit mit ihren Freunden verbringen.

Hör zu und sprich nach.

Die Kinder schwimmen und spielen im Wasser. Alle haben Spaß. Aber es ist schon spät. Anna muss los. Schade ...

3.19-20

Hör zu und sprich nach.

Anna, es ist schon spät.

Oje. Ich muss los. Ich gehe nach Hause.

Tschüss, Leute!

Schade.

Warte, Anna. Ich komme mit. Ich muss in die Bibliothek.

3.21

Der Freizeit-Rap

In den Park, in den Zoo, in den Garten,
Ins Theater, ins Kino, nach Hause,
In die Schule, ins Schwimmbad, zu Anna,
Auf den Spielplatz, zu Frau Krause.

Wir spielen und üben

Kegeldrehen

Kettenspiel mit Ball

Ratespiel

Paare suchen

Ich gehe in den Park. Und du?

Ich nicht. Ich gehe in die Bibliothek.

Ich auch. Ich gehe auch in den Park.

Wir gehen in den Park.

Richtiger Weg

1 Ich gehe in den Zoo.

2 Ich gehe ins Schwimmbad.

3 Ich gehe in die Schule.

4 Ich gehe in die Bibliothek.

5 Ich gehe ins Kino.

Würfelspiel

Ich will lernen. Ich gehe in die Bibliothek. Richtig!

69

3.22-23

Heute hat Anna keine Schule. Aber sie hat viel zu tun. Wohin geht sie zuerst?

**Hör zu und nummeriere die Bilder.
Ein Bild passt nicht.**

Hör noch einmal. Mit wem geht Anna wohin? Verbinde und erzähle.

Kommst du mit?

Hör zu und sprich nach. Hör zu und sing mit.

Wir gehen in den Zoo.
Hey! Sag mal, kommst du mit?
Ja? Prima! Spitze! Klasse!
Dann gehen wir zu dritt.

Wir gehen auf den Spielplatz.
Hey! Sag mal, kommst du mit?
Ja? Prima! Spitze! Klasse!
Dann gehen wir zu dritt.

Wir gehen jetzt ins Kino.
Hey! Sag mal, kommst du mit?
Ja? Prima! Spitze! Klasse!
Dann gehen wir zu dritt.

Wir gehen jetzt ins Schwimmbad.
Hey! Sag mal, kommst du mit?
Ja? Prima! Spitze! Klasse!
Dann gehen wir zu dritt.

Wir gehen jetzt nach Hause.
Hey! Sag mal, kommst du mit?
Ja? Prima! Spitze! Klasse!
Dann gehen wir zu dritt.

Scherz-Zoo

A

Ein kleiner Hund will spielen, aber wohin darf er gehen?

Lies die Texte und schau dir die Bilder an. Welcher Text passt zu welchem Bild?

B

1 Hallo, ich bin Molli. Ich bin ein Hund. Und ich spiele gern.

2 Ich möchte auf den Spielplatz gehen. Aber stopp! Das geht nicht.

3 Dann möchte ich in den Zoo gehen. Ich mag Tiere. Alle Tiere sind meine Freunde. Aber stopp! Das geht nicht.

C

4 Dann gehe ich ins Schwimmbad. Ich möchte schwimmen. Aber stopp! Das geht nicht.

5 Da ist die Hundeschule. Hurra! Hurra! Ich gehe in die Hundeschule. Toll! Hier kann ich laufen, springen, spielen. Das geht!

D

Für Hunde verboten

ZOO

E

Humor-Labor

Es ist sehr warm und die Sonne scheint so schön.
Anna, Grazia und Benno gehen ins Schwimmbad.

Hör zu und schau dir die Bilder an.

3.32

Der Sankt-Martinstag steht kurz bevor. Benno bastelt seine Laterne für das Martinsfest und singt vor sich hin.

Hör zu und sing mit.

Laterne, Laterne,

Sonne, Mond und Sterne,

brenne auf mein Licht,

brenne auf mein Licht,

aber nur meine liebe Laterne nicht.

3.33

Was gehört noch zum Martinsfest?
Hör zu und sprich nach.

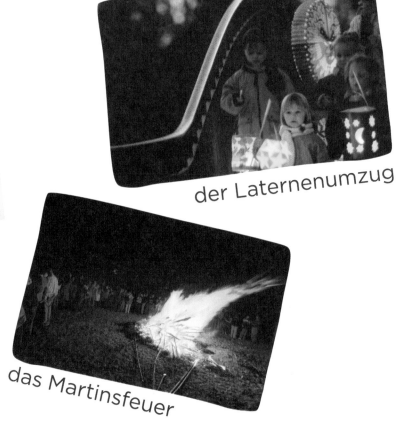

der Laternenumzug

Sankt Martin

das Martinsfeuer

Ich geh' mit meiner Laterne

Die Kinder gehen mit ihren Laternen durch die Straßen und singen Martinslieder.

Hör zu und sprich nach. Hör zu und sing mit.

Ich geh' mit meiner Laterne
Und meine Laterne mit mir.
Dort oben leuchten die Sterne
Und unten leuchten wir.
Ein Lichtermeer zu Martins Ehr!
Rabimmel – rabammel – rabum.

Ich geh' mit meiner Laterne
Und meine Laterne mit mir.
Dort oben leuchten die Sterne
Und unten leuchten wir.
Laternenlicht, verlösch mir nicht!
Rabimmel – rabammel – rabum.

Ich geh' mit meiner Laterne
Und meine Laterne mit mir.
Dort oben leuchten die Sterne
Und unten leuchten wir.
Mein Licht ist aus, ich geh' nach Haus.
Rabimmel – rabammel – rabum.

3.37

Im Februar ist es wieder soweit: der Fasching beginnt. Anna verkleidet sich als Maus, Benno – als Indianer. Was brauchen sie für die Faschingsfeier?

Hör zu und sprich nach.

die Luftschlangen

der Faschingsumzug

die Maske

die Krapfen

das Kostüm

Der Fasching ist da

Viele Leute feiern auf den Straßen. Alle tanzen und singen.

Hör zu und sprich nach. Hör zu und sing mit.

Trara tschinbumm trara!
Trara tschinbumm trara!
Jetzt ist der lustige Fasching da,
Man hört es schon von fern und nah.
Die Mädchen und die Buben,
Die tanzen in den Stuben.
Tschinbumm trara,
Tschinbumm trara,
Der Fasching, der ist da!

 3.41-43 Am zweiten Sonntag im Mai ist Muttertag. Anna bringt ihrer Mutter das Frühstück ans Bett und sagt ihr ein Gedicht vor.

Hör zu und sprich nach.

Liebe Mama, hör' mir zu,
Niemand ist so lieb wie du.
Und nun geb' ich dir zum Schluss
Einen zuckersüßen Kuss.

Was gehört noch zum Muttertag?
Hör zu und sprich nach.

der Kuss

der Blumenstrauß

die Pralinen

die Glückwunschkarte

Heute ist dein schönster Tag

Worüber freut sich deine Mama am meisten?
Blumen, Glückwunschkarte oder ein schönes Gedicht?

3.44

Heute ist dein schönster Tag,
Muttertag ist heute.
Bringe dir den Glückwunsch dar,
dir zur großen Freude.
Liebe Mutti, hör mir zu,
was ich dir heut' sage:
Habe dich von Herzen lieb,
heut' und alle Tage.

Alle Buchstaben sind Freunde

Auf der Welt gibt es viele Länder: Deutschland, Polen, Brasilien …
Aber dieses Land hier findet man auf keiner Karte. Es ist groß und
sehr schön. Es ist sehr interessant. Es heißt Buchstabenland. Und
hier leben viele, viele Buchstaben. Alle Buchstaben sind Freunde
und alle haben einen Namen. Sie heißen I und N und S ….
Da, schaut her, das ist E. Viele Buchstaben tragen diesen Namen.

E 1: Hallo! Guten Morgen!
Alle: Hallo! Hallo? Wer bist du?
E 1: Ich bin E. Ich heiße E.
Alle: E?
E 1: Ja. E wie Ente. E wie Esel. E wie Elefant.

Und wer kommt da? Das ist doch I. So fit und schlank und sportlich!

I: Hallo, Leute. Ich bin I.
Alle: Hallo, I. Hallo! Hallo!
E 1: Du bist aber dünn!
I: Na und? Ich mache viel Sport.
          Sport ist toll. Guck mal, ich kann
          springen. So und so und so.
          Lass uns Freunde sein!
Alle: EI, EI, EI wie Straußenei, wie
          Entenei. Toll! Prima! Super!

E und I sind beste Freunde. Sie sind fast immer zusammen.
Aber auch andere Buchstaben wollen Freunde werden. Wer ist denn
da? Das sind doch N und S.

N 1: Hallo, zusammen! Ich bin N.
Das ist mein Bruder.
N 2: Ich heiße auch N. Wir sind Zwillinge.
Lass uns Freunde sein.

S: Hallo, zusammen! Ich bin S.
Alle: Hallo, S.
N 1: Du bist so rund!
S: Na und? Ich habe immer
Hunger. Und ich habe Durst.
Ich mag Schokolade und Kuchen
und Pizza. Und ich trinke gerne Limo.
Mmm. Lecker!
Alle: Komm, S! Lass uns Freunde sein.
S: Au ja.

N 1: Nein, nein, nein, das mag ich nicht.
Ich mag das nicht.

Alle: Oh, oh, eine EINS. Eins. Eins! Toll! Prima.
N 2: Nein, das mag ich auch nicht.

Alle: Oh, oh, EIS, EIS. Wie Schokoeis, Vanilleeis! Mmmm. Lecker!
Eis wie Eishockey. Wir spielen gern Eishockey.
Wir laufen gern Ski und Schlittschuh. Es ist kalt. Brrrrrr.

R: Hallo, zusammen!
Guten Morgen!
E 1: Wer bist du denn?
R: Ich bin R. Ich heiße R.
R wie rot. R wie richtig.
E 1, I: Komm, R! Lass uns
Freunde sein.
R: O.K.

Alle: Oh, oh, REIS, REIS. Das schmeckt gut.
E 1: Ich mag Reis mit Gemüse.
I: Und ich mag Reis mit Milch.
S: Und ich – Reis mit Schokolade. Mmm. Lecker!

E 1: Da kommt mein Bruder. Hey, hallo, Bruder!
Alle: Dein Bruder? Das kann nicht sein!
Wie heißt er denn?
E 2: E. Ich heiße auch E.
S: Interessant! Komm, E!
Lass uns Freunde sein.
E 2: Au ja. Gern!

Alle: REISE! Die Reise! Wir gehen zusammen auf die Reise.
S: Aber wohin? Wohin gehen wir denn?
Alle: Auf den Spielplatz? In den Zoo?
E 2: Nein.
E 1: Au ja, ich weiß, wir gehen ins Schwimmbad.
Das Wetter ist so schön!

R: Nein, nein, wir machen eine richtige Reise,
eine Reise in das riesige Buchstabenland.

Eins und zwei und drei,
So geht die Zauberei.
Zwanzig, fünfzehn, zehn
Und das Buchstabenland ist zu sehen.
Abrakadabra!

Alle: Hurra! Hurra! Wir sind im Buchstabenland!

Prima! Wunderbar! Hier sind so viele Buchstaben.

A: Hallo! Willkommen im Buchstabenland! Ich bin A. Ich bin Nummer Eins im Alphabet. Alle kennen mich. Meine Lieblingszahl ist Acht. Und ich habe immer Appetit auf Ananas.

B: Na und? Brot mit Butter schmeckt auch wunderbar. Hallo, ich bin B und ich mag Beeren und Bonbons.

E, N: Komm, B. Komm, A. Lass uns Freunde sein.

Alle: Au ja, Anna mag Bananen. Und da! Schaut her. Da kommen auch andere Buchstaben. Sie gehen in die Schule. Sie haben viele Schulsachen.

L: Hallihallo! Ich heiße L. Ich bin lustig und mag lernen. Lernen ist toll! Lernen ist cool und genial. Hier sind mein Lineal, mein Kuli und mein Ball. Das ist mein bester Freund M. M mag Schule auch.

M: Ja. Ich mag Malen und Mathe und Musik. Mein Lieblingsessen ist Milchreis mit Mandarinenmarmelade. Mmmm. Lecker!

Alle: Oh, wer kommt denn da? So oval, so originell! Das ist doch O. Hallo, hallo!

O: Oh, hallo! Ich heiße O, O wie Oma. Mein Lieblingsobst sind Orangen. Ich mag Brot mit Honig und Tomaten. Sie sind rot.

T: Guten Tag, ich bin T. Ich habe tolle Talente. Ich tanze total gut und ich fotografiere Tiere. Und ich trinke jeden Tag Tee.

O, L: Toll, T. Total toll. Lass uns Freunde sein!

Alle: Toll! Prima! Wir haben so viele Freunde. Aber wer kommt denn da? Hopp, hopp, wer reitet im Galopp? Das sind P und seine Freunde U, F, H.

P: Puh, ich bin aus der Puste! Ich brauche eine Pause, eine Pause!

F: Uff, fleißig, fleißig. Wir feiern ein Fest mit unseren Freunden. Das wird fantastisch!

H: Hallo, ich heiße H. Ich habe immer Hunger! Hoffentlich gibt es auf dem Fest Hamburger.

U: Juchu! Hurra! Mein Name ist U. Für unser Fest koche ich eine gute Suppe und spiele Ukulele!

Alle: Gut! Super! Cool!

Alle Buchstaben freuen sich auf das Fest. Sie wollen singen und tanzen. Und sie wollen den Kindern endlich das Alphabet beibringen. Plötzlich sagt A ...

A: Aber wir sind doch nicht alle! Wir können doch nicht mit einem unvollständigen Alphabet in die Schule gehen!

Alle: Richtig, richtig. Wir müssen die anderen Buchstaben rufen! Hu-u! Wo seid ihr? Was macht ihr?

C: Ich spiele Computer und ich esse Cornflakes. Und du, Q? Was machst du? Spielst du Quartett?

Q: So ein Quatsch! Ich spiele Querflöte und ich mache ein Quiz für unser Fest.

K: Klasse! Und ich spiele Klavier und backe Käsekuchen und Kekse und mache Kakao und Kaffee. Klar?

G: Genau, und ich bin G, ich bin ganz groß. Ich mag gelbes und grünes Gemüse und ich gieße gern Gurken im Gemüsegarten.

D: Hallo, ich bin D. D wie Deutsch. D wie der, die, das. Und meine Lieblingstage sind Dienstag und Donnerstag.

J: Ja, ja, hallo! Ich bin J, J wie Jogurt, wie Juni, Juli und Januar. Jeder kennt mich. Aber allein bin ich traurig. Lasst uns Freunde sein.

Alle: Genau! Richtig! Und da kommt noch jemand. Schaut her! Das sind V, W, X, Y und Z.

V: Servus! Ich bin V. Meine Lieblingsfarbe ist violett, wie die Veilchen, die in der Vase stehen.

W: Und ich mag Weiß. Im Winter ist alles weiß: Wände, Wasser, Wald. Und du, Z? Welche Farbe magst du?

Z: Ich mag zwei Farben: Schwarz und Weiß, so wie ein Zebra.

Y: Und meine Lieblingsfarbe ist Dunkelbraun wie bei einem Yak.

X: Und ich mag Akrobatik!

A: Super. Alle sind da. A-B-C-D-E-F-G-H-I-J-K-L-M-N-O-P-Q-R-S-T-U-V-W-X-Y-Z.

Alle: Wir sind alle so verschieden. Aber wir wollen alle Freunde sein. Nur zusammen bilden wir Wörter und Sätze. Und wir können den Kindern schöne, interessante Geschichten erzählen.